Izabela Skabek

Na początku

WIERSZYKI DLA CAŁKIEM MAŁYCH MALUCHÓW

ILUSTRACJE MAREK REGNER

KIM JESTEM

Na początku byłam bielą
jasnych mgieł, co łąki ścielą.
Byłam smutnych wiatrów wianiem,
czubkiem góry, dnia świtaniem,
byłam tym, co w morzu słone,
żabką, która ma ogonek,
szumem drzewa w listopadzie,
misiem, co się do snu kładzie.
Częścią tego, co sprawiło,
że się słonko za las skryło.
Niespodzianie, daję słowo,
coś rozbłysło kolorowo
i nie czując istnień braku,
stałam się ziarenkiem maku.

NARODZINY

Najpierw byłam tak jak muszka,
potem tak jak z barszczu uszka,
później jak na plaży muszla,
śliwka, jabłko, nawet gruszka,
potem coca-coli puszka.
Wciąż liczyłam na paluszkach,
dodawałam stuk serduszka,
bo wyskoczyć chciałam z brzuszka.
Nagle się zrobiło jasno,
jakiś wrzaskun we mnie wrzasnął,
rozejrzałam się dokoła:
„Wreszcie jestem! To ja wołam!"

Wycieczka

„Dziś zobaczysz kawał świata"
tak powiedział do mnie tata.
„Pojedziemy na wycieczkę,
chodź, założę ci czapeczkę."
Najpierw z mamą mnie szarpali,
ręce, nogi wyrywali,
wreszcie jakoś mnie ubrali
wózkiem z domu wyjechali,
świat pokazać obiecali.
A ten świat to zwykłe nudy,
kolor ma od wózka budy.
Zresztą powiem wam w sekrecie,
że niewiele wiem o świecie,
bo to całe kołysanie,
to się zawsze kończy spaniem.

CHARAKTEREK

Pewnie, że ja mam charakter,
tylko taki całkiem mały,
to dlatego mama z siostrą
„charakterkiem" go nazwały.

Taki mały charakterek
jest praktyczny i wygodny,
można nosić go bezpiecznie,
w ręce czy w kieszonce spodni.

Zmieści się w torebce mamy,
i w pudełku na narzędzia,
więc ja się z nim nie rozstaję
i zabieram z sobą wszędzie.

Czasem niezłe zamieszanie
robi się przez charakterek,
zwłaszcza kiedy moja mama
chce założyć mi sweterek.

Jeśli ja ostatnio miałam
swój charakter w bluzie z misiem,
to nie mogę teraz włożyć,
kurtki z pieskiem i napisem!

Żeby ciągle się nie kłócić
i nie robić płaczów wielkich,
proponuję, żeby tata
dodrukował charakterki.

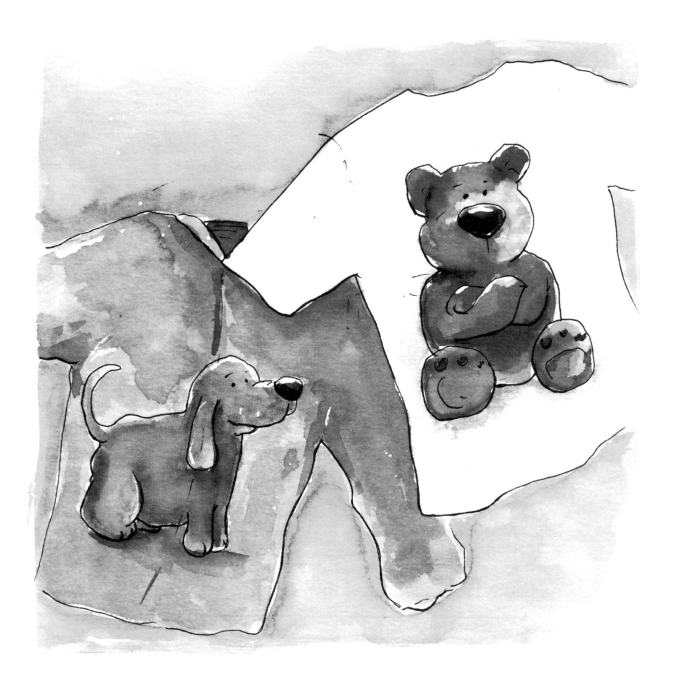

SMAKI

Lubię jak suszone śliwki
smak tej pszczoły z pozytywki.
Żółtej części przy gryzaku
nie zastąpi tysiąc smaków.
Z Andaluzji pies łaciaty
dobry jest jak kocyk w kwiaty,
rękaw bluzki w małe misie
z pysznym czymś kojarzy mi się.
A zegarek jest tak troszkę
jak ta ruda marchew z groszkiem.
Lecz najlepszy smak na świecie
ma mój prawy kciuk – no przecież!

MAMA

Mama maj i mama mleko,
mama to spacer daleko,
mama moja, mama taty,
mama – wiersz o psie łaciatym,
mama – dziwnych min robienie,
mama – śpiewanie piosenek,
mama moja jak marzenie.

TĘCZOWY POTWÓR

Wy nie wiecie – we mnie w środku,
kolorowy żyje potwór.
Gdy niebieski jest troszeczkę,
to błękitnym padam deszczem,
gdy zielony, to po łące,
cały ranek gonię słońce.
Gdy czerwony jest jako ogień,
złoszczę się i krzyczę sobie,
smutna jestem, gdy jest szary,
kiedy złoty, robię czary.
Często zmienia barwy swoje,
to dlatego mam nastroje...
Raz mam czarny, raz różowy,
co minutę inny, nowy.
A w przedszkolu? Wprost szaleję!
Krzyczę, płaczę lub się śmieję.
Dobrze, że mam panią Basię,
która na potworach zna się.
Trwa to zwykle małą chwilkę,
potwór staje się motylkiem,
siada cicho na ramieniu,
potem znika w okamgnieniu.

BAJKA

Spinki z Hello Kitty dwie
i opasek różnych sześć,
gumki z Bellą i Kopciuszkiem,
pierścień z kwiatkiem, wsuwki z puszkiem,
osiem brokatowych wstążek...
Wszystko to na siebie włożę,
zapnę, przypnę, wsunę, zwiążę,
będę piękna, na bal zdążę...
Cudny mnie zobaczy Książę,
będzie wszystko tak, jak z książek...

Nagle zegar bije północ,
mama mówi, że już późno,
dziewiętnasta czy dwudziesta,
a ja tak bym chciała nie spać...
Tańczyć, kręcić się, wirować,
chwytać gwiazdy i czarować,
złotych włosów burzą wstrząsać,
w marmurowej sali pląsać...

Dobrze, mamo, idę sprzątać!

TATA

Fajnie jest mieć tatę słonia,
robi trąbą prysznic dzieciom.
Małe szpaki uczy latać,
tata, potem za nim lecą.

Fajnie jest mieć tatę zebrę,
bo się dresik w paski ma.
Bujną grzywę ma się wtedy,
gdy się ma za tatę lwa.

Fajnie jest mieć tatę rybę,
bo się pływa całe dnie,
lecz najfajniej mieć mojego,
który bardzo kocha mnie.

DŹWIĘKI

Trach – trach patyk w ogrodzenie,
bach – bach lecą dwa kamienie,
Klang – klang tłuką się pokrywki!
Dźwięki są jak pozytywki.
Najpierw zamknięte i nieśmiałe
siedzą w pudełku od zapałek,
lecz gdy uwolnić je czasami,
bawią się, tańczą, grają z nami!

Sam patyk jest cichy jak rybka,
podobnie kamień i pokrywka,
lecz gdy ja wezmę je do ręki,
wyskoczą z nich od razu dźwięki.

Buch – buch buciory po podłodze,
Hau – hau mój pies szczeka przy nodze,
Wiju – wiju gwizdek dziadka,
takie dźwięki to zagadka.
Niby ich nie ma, cicho, głucho,
siedzą schowane pod poduchą,
lecz gdy uwolnić je czasami,
to hałasują razem z nami!

Mam tajemnicę

Mam w plecaku tajemnicę,
na podwórko ją przemycę
i ukryję w gęstym cieniu,
miejsce wskażę na kamieniu
i nakreślę mapę sprytnie,
mama mi ją na pół przytnie.
Będą wszyscy skarbu szukać,
węszyć wszędzie, szperać, kukać.
Bo to są prawdziwe skarby!
To jedwabne są kokardy,
sznur zerwany koralików,
komplet starych jest guzików,
cztery szyszki, krzywy patyk,
dwie zakrętki, piesek w łaty,
głowa jednej starej lalki,
i pokrętło jest od pralki.
Jak ten skarb odnajdziesz szybko,
to się nim podzielę, rybko!

ŚLIMACZEK

Przeniosę ślimaczka
o, spod tego krzaczka
i położę koło nogi,
bo ja znam najlepsze drogi.

Schował się ślimaczek
do muszli i płacze,
nie chciał chyba iść w tę stronę,
wszystkie drogi pomylone.

Oj, ślimaczku, nie narzekaj,
tutaj łąka jest i rzeka,
znacznie lepsza droga taka
dla małego jest ślimaka.

Cicho, cicho, ciii,
bo ślimaczek śpi.
Spodobała mu się rzeka
oraz łąka, nie narzeka.

LIŚCIE

Coś tu szura, szemrze, szepcze,
kiedy się po liściach depcze...
Staram się iść jak najciszej,
może wtedy to usłyszę...

Bo ja myślę, że to stworki
jakieś wyszły ze swej norki
i pobawić się chcą z chłopcem,
ale ich nie mogę dostrzec...

Ach! To pewnie to szuranie
i szemranie i szeptanie!
Chcą powiedzieć mi zwyczajnie,
że są całkiem niewidzialne!

Deszcz

Dzyń, dzyń, dzwoni ktoś do drzwi.
To już jesień – dzyń, dzyń, dzyń!
Przyszła z deszczem, kałużami,
aby się pobawić z nami.

Już na progu są kalosze,
kurtka, kaptur jest już, proszę!
Kap, kap, krople lecą z nieba...
Więcej wody? Nie, nie trzeba!

MRÓZ

Coś pod butami skrzypi,
coś w nos i uszy szczypie...
Na świecie biało, pusto, cicho,
co to tak szczypie, co za licho?
Czy to skrzypiąca jest szczypawka?
Czy to szczypiąca jest skrzypawka?
A może mrozu to jest sprawka?

Piosenka spacerowa

Dziś zimno jest na dworze,
więc ja ci kurtkę włożę
i pójdziemy w dal.

Będziemy iść po lesie,
słuchać jak echo niesie
nasze głosy w dal.

I będzie ptaszek śpiewał
i będą szumieć drzewa,
wiatr poleci w dal.

A kiedy już wrócimy,
do snu się ułożymy,
sen popłynie w dal.

I przyśnią nam się kraje
z tysiąca pięknych bajek,
bliższa będzie dal.

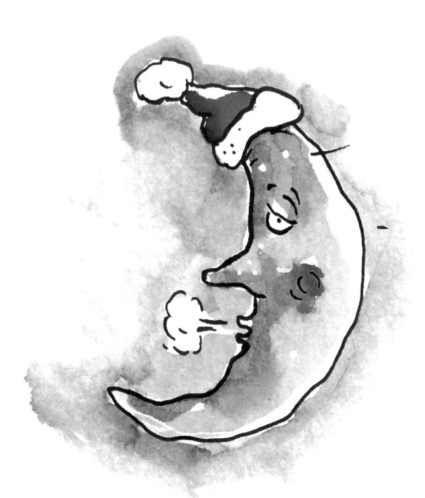

BAŁWANEK

Tur, tur, tur, toczy się kula,
kula za kulą w śnieg się kula.
Kiedy się kula z kulą przytula,
kiedy się kula w kulę wtula,
to razem tworzą Śnieżnego Króla.

BAZIE

Na drzewie siedzą koty,
szare, włochate, kosmate,
a koty to nieloty,
jak tam wleciały zatem?

PASTWISKO

Za pastwiskiem niebieskim
jest czerwone pastwisko,
potem żółte, zielone,
bo wyśniłem to wszystko.

Te pastwiska zielone,
i niebieskie pastwiska,
niosą krówki wyśnione.
Ta daleka, ta bliska.

Krówki idą w dal siną,
w dali sine pastwisko,
aż się we mgle rozpłyną,
bo wyśniłem to wszystko.

WIECZOREM

Wszystko było dokładnie jak co dzień,
najpierw długo ciapałam się w wodzie,
potem problem był z wyjściem niewielki,
bo nie wszystkie wyjść chciały muszelki.
Bunt podniosły ośmiornice i ryba,
że nie wyjdą (bo są wodne – chyba!),
ale tata się bardziej zbuntował
i powiedział cztery groźne słowa,
i się zaraz zabawki zgodziły,
z wody wyszły i mnie też pozwoliły.
Potem prawie jak każdego wieczora
były grzanki i bajki też pora,
potem zęby i książka do łóżka,
potem buziak i miękka poduszka.

No a potem już było inaczej,
nic nie mówię, bo się chyba rozpłaczę.
Bo nie mogłam wcale zasnąć sama,
cztery razy przyszła do mnie mama
i raz tata, już trochę zmęczony
i ponury, i trochę wkurzony.
Potem wyszłam, bo chciałam wody,
wymyśliłam trzy inne powody,
jedne gorsze, inne lepsze trochę,
nie wzruszyłam rodziców szlochem.

Lecz nareszcie, gdy już zwątpiłam
i się w pustym swym łóżku smuciłam,
przyszedł sen włochaty i miękki,
i zanucił mi cztery piosenki...
Jedną o złocistym koguciku,
drugą o odważnym rycerzyku,
trzecią o królewnie, co ma pałac,
czwartą o... nie wiem o czym,
bo już spałam.

Misie

Oto misie dwa,
jak mama i ja.
Czasem łowią razem ryby,
czasem straszą w lesie grzyby,
czasem się przytulą mocno,
czasem lubią w deszczu moknąć,
czasem szczypią się troszeczkę,
czasem siedzą pod łóżeczkiem,
czasem myją brudne ręce,
czasem proszą serka więcej,
czasem bawią się wspaniale,
oglądają masę bajek
i czytają, i się gonią,
przelewają wodę dłonią.

Ale czasem dzień jest zły,
misie ocierają łzy,
bo się zdarza, że te misie,
się pokłócą, tak jak dzisiaj.
Obraziły się na siebie,
zrobiła się dziura w niebie,
pokrzyczały, potupały,
wciąż za głowę się łapały
i krzyczały: „Nie, ja dzisiaj
nie poznaję mego misia!"
Ale kiedy czas na spanie,
gdy się oczy kleić zaczną,
to przypomni misio mamie,
że się bez niej nie da zasnąć.